*Das Wunder der Welt,
die Schönheit und die Kraft,
die Gestalt der Dinge,
ihre Farben, Lichter und Schatten
sind mir begegnet.
Sieh auch du sie,
solange das Leben währt.*

12. Auflage 2023

Originalverlag: Simon and Schuster UK Ltd, London
Originaltitel: The Storm Whale
Aus dem Englischen von Johanna Hohnhold
Lektorat: Svenja Drewes
Printed in China
ISBN 978-3-8489-0076-3

www.aladin-verlag.de

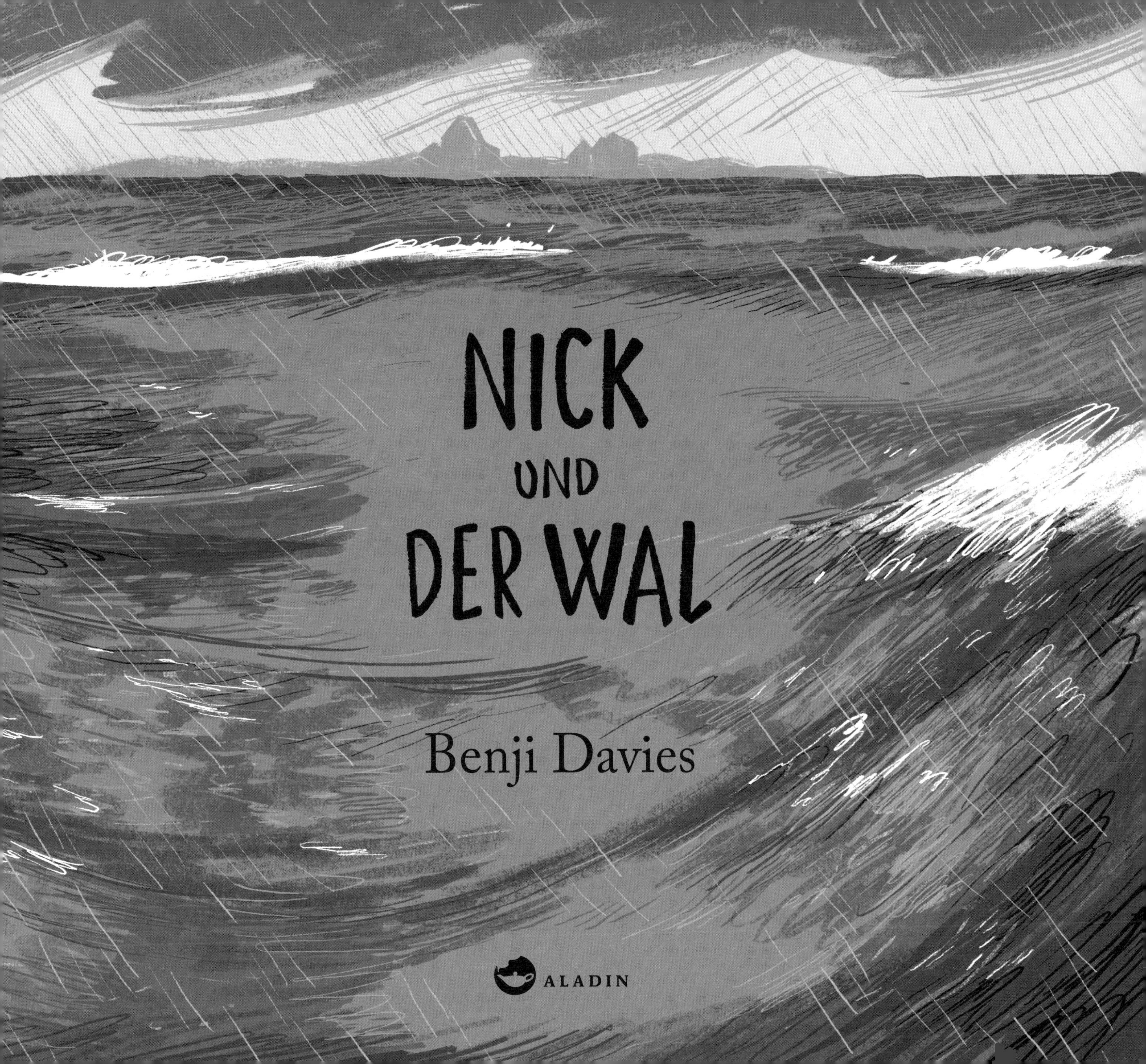
NICK
UND
DER WAL
Benji Davies
ALADIN

Nick lebte mit seinem Vater und sechs Katzen am Meer.

Jeden Tag ging Nicks Papa früh aus dem Haus, um mit seinem Fischerboot aufs Meer hinauszufahren.

Vor Sonnenuntergang war er nie zu Hause.

Eines Nachts hatte ein großer Sturm rund ums Haus gewütet.

Am nächsten Morgen ging Nick an den Strand,
um nachzusehen, was dort angeschwemmt worden war.

Und während er am Ufer entlangwanderte,
entdeckte er etwas in der Ferne.

Nick traute seinen Augen nicht, als er sich näherte.

Ein kleiner Wal war im Sand gestrandet.

Nick überlegte, was er tun sollte.

Er wusste, dass ein Wal
nicht an Land sein sollte.

»Ich muss mich beeilen«, dachte er.

WAL-
GESÄNGE
VOL II
NDEL
WASSERMUSIK

Nick tat alles, damit der Wal sich zu Hause fühlte.

Er erzählte ihm Geschichten vom Leben auf der Insel.
Der Wal war ein sehr guter Zuhörer.

Die Nacht senkte sich über die Insel
und es wurde dunkel.

Nick befürchtete, sein Papa könnte ihm böse sein,
wenn er einen Wal in der Badewanne vorfand.

Irgendwie schaffte es Nick,
sein Geheimnis
den ganzen Abend
für sich zu behalten.

Es gelang ihm sogar, ein Abendessen
für den Wal hinauszuschmuggeln.

Aber er wusste, das konnte
nicht lange gut gehen.

Nicks Papa war nicht böse.
Er hatte nur so viel zu tun, dass er gar nicht bemerkt hatte, wie alleine Nick sich fühlte.

Trotzdem sagte er, dass sie den Wal zurück ins Meer bringen müssten. Denn dort gehörte er hin.

Nick wusste, dass sie das Richtige taten,
aber der Abschied fiel ihm schwer.

Zum Glück war sein Papa bei ihm.

Nick dachte oft an den Sturmwal.

Er hoffte, dass er eines Tages …

… seinen Freund wiedersehen würde.